LE RÉVEIL DU

TOME & JANRY

DUPUIS

TE SOUVIENS-TU, AMI LECTEUR ?
C'ÉTAIT EN ... MAIS LA DATE IMPORTE PEU. L'HUMANITÉ PARALYSÉE ASSISTAIT À L'AVÈNEMENT DE CELUI DONT L'INITIALE SUFFISAIT À FAIRE FRÉMIR SANS QU'IL FÛT NÉCESSAIRE DE PRONONCER SON NOM, C ÉTAIT
"Z COMME ZORGLUB"
ÉTERNELLE FASCINATION DU POUVOIR ...
LE DICTATEUR ÉLECTRONIQUE AVAIT SUSCITÉ UN ÉMULE : LE FUNESTE ZANTAFIO. PAR BONHEUR, LE GÉNIE DU COMTE de CHAMPIGNAC ALLIÉ À L'ÉNERGIE DE SPIROU, AVAIT PU TRIOMPHER DE
"L'OMBRE DU Z"
TYRAN PLUS VITE QUE SON HOMME.
EVIV
BULGROZ
EVIV BULGROZ !
TIK TAK
TIK TAK
TIK TAK
TIK TAK
TIK TAK
TIK TAK
TIK TAK
C'ÉTAIT HIER, DES ENNEMIS S'ÉTAIENT RÉCONCILIÉS. ON PENSAIT NE PLUS JAMAIS ENTENDRE RÉSONNER LE MARTÈLEMENT DES SEMELLES MARQUÉES DU SINISTRE "Z", ET POURTANT... POURTANT, L'HISTOIRE, COMME UNE IDIOTE, SE RÉPÈTE MÉCANIQUEMENT.
TU AS COMPRIS, AMI LECTEUR, MAIS IL EST DÉJA TROP TARD... DEBOUT ! C'EST L'HEURE DU
RÉVEIL DU Z
YRNAJ & EMOT 58

Encore sous le coup des étranges circonstances qui les ont conduits à voyager dans le passé*, Spirou et Fantasio ont repris leurs activités journalistiques.

Comme l'on pouvait hélas le prévoir, nul ne semble sérieusement disposé à croire au récit de cette hallucinante aventure.

Or, ce jour-là, à deux pas des bureaux du journal "Spirou"...

* Voir "Spirou & Fantasio" N° 36.

TOI, EN TOUT CAS, ON NE PEUT PAS TE MANQUER! ON Y VA?
KÂKEBUKE!
KÂKEBUKE!
PRENONS UN TAXI, C'EST À DEUX PAS!
T'AS LU LE "RÉCIT" DE CE FANTASIO? BIZARRE, NON?
TOUS LES "RÉCITS" ONT UN AIR BIZARRE! RAPPELLE-TOI TA PROPRE EXPÉRIENCE, AVANT QUE NOUS FONDIONS "LE CERCLE DES ÉLUS!"
!
DE TOUTE FAÇON, ON SAURA VITE: J'AI PRÉPARÉ UN QUESTIONNAIRE!
TAXI
AU MÊME INSTANT...
MONSIEUR FANTAISI?
?
RAVI DE FAIRE VOTRE CONNAISSANCE! JE ME NOMME KAKEUKH, JE SUIS LE NOUVEAU DIRECTEUR DES INFORMATIONS.
BAH, PERSONNE N'EST PARFAIT!
J'AI PARCOURU AVEC LE PLUS VIF INTÉRÊT VOTRE SURPRENANT RÉCIT... COMMENT DÉJÀ? "LES POTINS DE..." NON! ...NON...
"L'HORLOGER DE LA COMÈTE"!
"L'HORLOGER DE LA COMÈTE", C'EST CELA. PLUTÔT INCROYABLE, NON?
ÉCOUTEZ, JE NE BIDONNE JAMAIS MES REPORTAGES, MONSIEUR KIKONKH. CELUI-CI EST AUTHENTIQUE COMME LES AUTRES.
ALLONS DONC! CE N'EST PAS CE QUE J'AI VOULU DIRE!
GUILI GUILI
J'AI D'AILLEURS PRIS L'INITIATIVE DE SOLLICITER LE CONCOURS DE DEUX EXPERTS À QUI J'AI SOUMIS VOTRE INTÉRESSANT TÉMOIGNAGE!
SUIVEZ-MOI!
CES PERSONNES NOUS ATTENDENT DÉJÀ, DANS MON BUREAU!
MAIS, JE...
MESSIEURS, JE VOUS PRÉSENTE MONSIEUR FANTASMO...

KÂKEBUKE !
AH NON, NON ! MOI, C'EST FAN-TA-SIO ! KAKEUKH, C'EST LUI !

BIZARRE, NON ? IL N'A PAS RÉAGI AU SIGNE DE RALLIEMENT ! TU CROIS QU'IL **LES** A VRAIMENT RENCONTRÉS ?
ON VA VOIR !

... HAEM !
MON **CONFRÈRE** ET MOI APPARTENONS À UNE **FONDATION** DONT LE **BUT** EST DE RECUEILLIR LES **PREUVES** DE L'EXISTENCE D'UNE **INTELLIGENCE** EXTRA-TERRESTRE **SUPÉRIEURE**...
... ET, ACCESSOIREMENT, DE PROUVER QUE LA TERRE N'EST PAS RONDE, MAIS PLATE COMME UNE SOUCOUPE !
VOLANTE, JE SUPPOSE.

NOUS SERIONS HEUREUX QUE VOUS ACCEPTIEZ DE NOUS DÉCRIRE ENCORE UNE FOIS LES PHÉNOMÈNES DONT VOUS AVEZ ÉTÉ TÉMOIN ...
NOUS DISPOSONS D'UN **QUESTIONNAIRE** PERMETTANT DE **VÉRIFIER** SI **VOS** ASSERTIONS CONTIENNENT UNE **PART** DE VÉRITÉ.

QUOI ?! MAIS, ON SE FOUT DE M...?
OBTEMPÉREZ, MONSIEUR FOUTAISIO ! CES MESSIEURS ONT LU VOTRE RÉCIT AVEC LE PLUS VIF INTÉRÊT !

ET PUIS, PENSEZ À VOTRE REPORTAGE. IL SERAIT INTÉRESSANT D'AVOIR DES GARANTIES ...
SHLUP

SOIT !
GLOP !

TOUT A COMMENCÉ IL Y A QUELQUES SEMAINES...
DUPUIS
DUPUIS

... LA DATE EXACTE EST MENTIONNÉE DANS LE REPORTAGE. À L'ÉPOQUE, ON PARLAIT BEAUCOUP DE LA COMÈTE DE HALLEY. JE PASSAIS QUELQUES JOURS DE DÉTENTE AVEC UN COLLÈGUE REPORTER DANS LE CHÂTEAU D'UN VIEIL AMI, À CHAMPIGNAC. LE PROPRIÉTAIRE S'ÉTAIT ABSENTÉ ...
3.

LA NUIT ÉTAIT TOMBÉE LORSQUE TOUT LE CHÂTEAU FUT SOUDAIN SECOUÉ PAR UN FRACAS ÉTRANGE VENANT DE L'EXTÉRIEUR.

JE CROYAIS RÊVER : UN ÉNORME APPAREIL D'UN MODÈLE INCONNU ÉTAIT EN TRAIN DE SE POSER SUR LA PELOUSE...

C'EST LE SPECTACLE LE PLUS INSOLITE AUQUEL IL M'AIT ÉTÉ DONNÉ D'ASSISTER...

J'IGNORE ENCORE COMMENT, MAIS AURÉLIEN (PUISQUE C'EST AINSI QU'IL SE NOMMAIT) RÉUSSIT À NOUS CONVAINCRE DE LE SUIVRE DANS UNE PÉRILLEUSE MISSION. N'ÉCOUTANT QUE NOTRE COURAGE, SPIROU ET MOI ACCEPTÂMES SANS L'OMBRE D'UNE HÉSITATION !

WOOOF
ZWOMP
?
PEU DE TEMPS APRÈS NOTRE ENVOL, NOUS FÛMES PRIS EN CHASSE PAR UN JET. POUR LUI ÉCHAPPER, AURÉLIEN FIT UN BOND DANS L'ESPACE-TEMPS ... MAIS, À NOTRE GRANDE SURPRISE, UNE ERREUR DE FONCTIONNEMENT NOUS TRANSPORTA BIEN À L'ENDROIT SOUHAITÉ, MAIS PLUS DE QUATRE SIÈCLES TROP TÔT, AU MILIEU DE CONQUISTADORES PORTUGAIS EN PLEINE COLONISATION DE LA PALOMBIE ! ILS NOUS PRIRENT POUR DES ESPIONS À LA SOLDE DE FRANÇOIS Ier, MAIS HEUREUSEMENT, NOUS...
INCROYABLE! JE SUPPOSE QUE VOUS AVEZ EU LE TEMPS DE PRENDRE DES PHOTOS ?...
DES PHOTOS ?
PFUIT ! PAS DE PHOTOS : SCHNOL !
COMMENT ÇA "SCHNOL" ?
"SCHNOL", PARCE QUE LE SNOUFFELAIRE LES A AVALÉES !
LE QUOI ?

AU MÊME INSTANT...

AH ! UNE PETITE PLACE ! POUR UNE FOIS, J'AI DE LA VEINE !

D'ABORD UN CHEWING-GUM, POUR FAIRE PASSER LE GOÛT DU GAS-OIL !

?

DITES DONC ! LE PUNK AVEC LE PETIT ROQUET, LÀ !
?

C'EST UN ÉCUREUIL !
JE VOUS AI OBSERVÉ, HEIN ! VOUS N'AVEZ PAS GLISSÉ DE MONNAIE DANS LE PARCMÈTRE !
DOIS-JE EN CONCLURE QUE VOUS BRAVEZ LA LOI ?

LA FENTE EST OBSTRUÉE PAR UN CHEWING-GUM. CONSTATEZ VOUS-MÊME !
HABILE STRATAGÈME ... À PROPOS, QU'EST-CE QUE VOUS MÂCHEZ ?

HEIN ? ... MAIS EUH...
... UN BONBON ...
POUR LA GORGE ...
D'AILLEURS, JE L'AI AVALÉ !
GLOP !

BIEN SÛR ! TENEZ, VOUS VOILÀ EN MESURE DE VOUS METTRE EN RÈGLE. QUE JE NE VOUS Y REPRENNE PLUS !
CHMOP !
COINSS

... DEUX DINGUES, UN PEU ALLUMÉS.... PAS BIEN DANGEREUX. MAIS ILS SE SONT ÉCHAPPÉS. ON LES A SIGNALÉS DANS LE COIN.
JE NE VOIS PAS ...
HELLO, SPIROU ! FANTASIO EST AU PREMIER !
'LUT !
COURRIER

DING

KAKEBUKE ?
?
?

INUTILE, FRÈRE, CE N'EST PAS DANS CETTE MAISON QUE NOUS TROUVERONS CE QUE NOUS CHERCHONS...
?
?
?

HÉ ! LES VOILÀ ! HAHA ! JE VOUS L'AVAIS BIEN DIT ! LÉON ! LÉON !
!
?
¡LS SONT LÀ !

MON PAUVRE SPIP, IL Y A DES JOURS OÙ IL VAUDRAIT MIEUX ALLER SE COUCHER SANS CHERCHER À COMPRENDRE !
BOF, REGARDE-TOI, TU ES BIEN EN TRAIN DE BAVARDER AVEC TON ROQUET.

J'EN SUIS SÛR! JE VOUS DIS!
?

FANTASIO?... MAIS...
JE VOUS DIS QU'ILS NE M'ONT PAS CRU... SNIF... C'EST DÉJÉCHPÉRANT... BOPS!
ALLONS, ALLONS
DÉZEJ-PÉRANT ...

AH, CHPIROU! DIS-LEUR! ROPS, DIS-LEUR QUE...
MAIS ... IL A BU ?!
VOUS CROYEZ ?

C'EST À PROPOS DE CETTE... NOUVELLE SUR LE VOYAGE TEMPOREL, NOUS ESSAYIONS DE VOIR...
PAS UNE GNOUVELLE UN REPORTAZE ! !!
TOME + JANRY
8.

AINSI, FANTASIO VOUS A SOUMIS LE RÉCIT DE CETTE ÉTONNANTE AVENTURE.
ÉTONNANTE, C'EST LE MOT.

ÉCOUTEZ. JE VOUS GARANTIS PERSONNELLEMENT QUE SA SINCÉRITÉ N'EST PAS À METTRE EN DOUTE...
MAIS JE N'EN DOUTAIS PAS.
ZOUFF

TOUTEFOIS, JE ME PERMETS DE VOUS DEMANDER DE... GELER, DISONS... PROVISOIREMENT...

... LES PROJETS DE PUBLICATION DE CET ARTICLE.
QUOI?

SPIROU! DE QUEL DROIT TE PERMETS-TU DE...
?
?

FANTASIO!! VITE, APPELEZ UN MÉDECIN!
J'Y COURS.

OUI, DOCTEUR... UN DE NOS JOURNALISTES, EMPORTÉ PAR L'ENTHOUSIASME DE SON REPORTAGE... C'EST ÇA!
... ON VOUS ATTEND!
HA! HA! HA!

PFF...
CLOP

"L'HORLOGER DE LA COMÈTE"! QUELLE BLAGUE!
CRiiiiiip

HA, HA, HA! SACRÉ FOUTAISIO!
L'HORLOGER de la COMÈTE

PLUS TARD...
ALORS, DOCTEUR ?...
BAH, LES FRACTURES, CE NE SERA RIEN, C'EST UN GARÇON ENCORE SOLIDE...
TOME + JANRY

POUR LE RESTE, ÇA POURRAIT PRENDRE PLUS DE TEMPS. VOUS SAVEZ, LES NEURONES, C'EST PLUS FRAGILE !

À CE PROPOS, AU CAS OÙ IL RETROUVERAIT SES ESPRITS, NE VOUS INQUIÉTEZ PAS S'IL ONDULE UN PEU DE LA TOITURE, HEIN ! IL A ÉTÉ PAS MAL BOUSCULÉ !
PUISQUE VOUS ME PRÉVENEZ...

HÉ HÉ HÉ... ALORS, COMMENT ON SE SENT, GRAND CHENAPAN ?

OÜÜÜ ♪... FANTASIO !

BON... JE TE LAISSE UN INSTANT AVEC LA TÉLÉ, JE VAIS NOUS PRÉPARER UNE TISANE.
CLIC

AARGNARGNAH
JE DÉTESTE LES SCHTROUMPFS!
CIEL, CARAMEL, LE SORCIER! FUYONS!
!

CETTE FOIS, C'EN EST FINI DE VOUS, VERMINE BLEUE! GNA
PIF PAF
IMPOSSIBLE. CARAMEL! PENSE AUX CONTRATS!

TIENS
SCROUIK
ROUMPF
BZI

PiOUi SCOUBIDOUi

KRUiiii
BiZOUU
BZZ

TIENS? 'Y A DES PARASITES, ON DIRAIT.

CLIC
CLIC
CLIC

PAF!
TILT
11.

VOILÀ, ÇA REMARCHE !
CIEL SCHTROUMPFETTE ! UN BÉBÉ SCHTROUMPF NOIR !
BLA BLA BLA

BEUH ! MANQUE DE SUCRE, CETTE TISANE...
SAPRISCHTROUMPF GRAND SCHTROUMPF ?
IMPOSSIBLE. J'AI UN ALIBI...

BIZ ROUMPF KROUÏ PROUT

RAAAH !
MOUH ! MOUH !
MOUH ! MOMPFF

?
P'IROUF !
Â 'A 'ÉLÉ !
'E 'HOUFFEL'AI' !
KROUiiii

?
LA TÉLÉ ?
...ET MAINTENANT, NOTRE DESSIN ANIMÉ "LES SNURKELS" OFFERT PAR LES ASPIRATEURS POMP-TOUH !
TOME + JANRY
12.

HE S'HNOUFF... HA GNAH HÉLÉ! RÂÂH!
CALME-TOI! JE NE COMPRENDS RIEN. TIENS, ÉCRIS-LE!
GNAH!

SCRITCH! SCRITCHA!
SCRITCH SCRITCHACRITCH SCRITCH
CRUITCH! CRITCHA!
SCRITCH SCRITCH!
SCRITCH
SCRITCH
CRITCH!
?

LE SNOUFFELAIRE? TU... TU VIENS DE VOIR APPARAÎTRE LE SNOUFFELAIRE... À LA TÉLÉ?
MOUH MOUH!

?
?
?
...AVEC "POMP-TOUH", ON N'EST JAMAIS EN PANNE D'ASPIRATION! HA, HA, HA!
!

...VOUS ÉTONNEZ PAS S'IL ONDULE DE LA TOITURE.

ÉCOUTE, VIEUX! FAUT PAS S'AFFOLER, LE TOUBIB M'A PRÉVENU...
MOUH

TOUT CELA NOUS A PAS MAL CHAHUTÉS, TOUS LES DEUX. L'ÉDITEUR NOUS A ACCORDÉ QUELQUES JOURS DE REPOS, PROFITONS-EN.

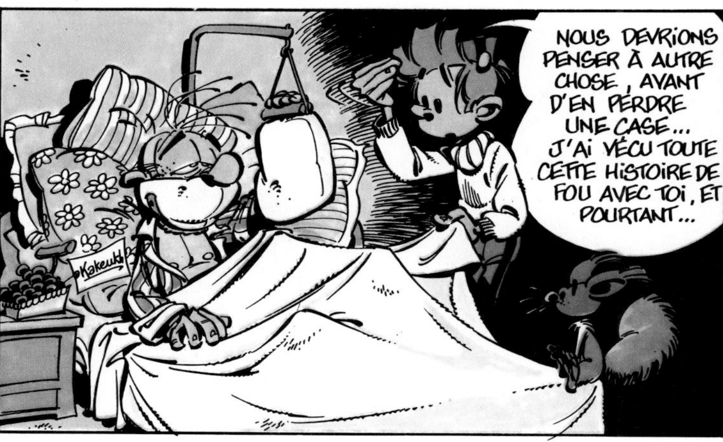
NOUS DEVRIONS PENSER À AUTRE CHOSE, AVANT D'EN PERDRE UNE CASE... J'AI VÉCU TOUTE CETTE HISTOIRE DE FOU AVEC TOI, ET POURTANT...

...AUJOURD'HUI, IL M'ARRIVE DE CROIRE QUE J'AI TOUT SIMPLEMENT RÊVÉ!
?

KAHÖÖGA-WOOGAH
TOME + JANRY

MOUH!
?
ZUT ! LA LUMIÈRE ! SANS DOUTE UN FUSIBLE !
?

MOUH ! MOUH !
TRANQUILLISE-TOI ! JE VAIS ARRANGER ÇA !

OK ! C'EST RÉTABLI !
CLAP

VOILÀ ! J'ESPÈRE QUE POUR CE SOIR, LES ÉMOTIONS SONT FINIES ...

?!
14.

GNAHA !
FANTASIO, POUR L'AMOUR DU ...
OUAH!
?

NOM DE ... LE SNOUFFELAIRE!
TCHRIKL TCHRIKL
FLASH
FLASH

!
EN CHAIR ET EN OS! C'EST... C'EST INCROYABLE! JE SAVAIS BIEN QUE NOUS N'AVIONS PAS RÊVÉ!
DANS MES BRAS!

MOUH!
?
MESSAGE

?
?
MESSAGE
POFF
D'AURÉLIEN

?
D'AURÉLIEN
POUR
POP
SPIROU FANTASIO
POPS

!

PLAFF
AU SECOURS!
TOME + JANRY

AURÉLIEN!! IL... IL LUI EST ARRIVÉ MALHEUR ET... IL NOUS A ENVOYÉ LE SNOUFFELAIRE À TRAVERS LE TEMPS POUR NOUS PRÉVENIR!
?

C'EST DÉMENTIEL! COMMENT POUVONS-NOUS SECOURIR QUELQU'UN QUI SERA EN DANGER UN DEMI-SIÈCLE PLUS TARD?

MOUH! MOUH!
BIEN SÛR! SI LE SNOUFFELAIRE EST VENU JUSQU'ICI, IL DOIT Y AVOIR UN MOYEN DE LE SUIVRE EN SENS INVERSE!

C'EST ÇA! IL FAUT LE SUIVRE!
ALLONS, TIMOTHÉE, CHERCHE AURÉLIEN. CHERCHE PAPA!
ZZZ

NOM D'UN CHIEN, FAIS UN EFFORT! KSS! KSS!
SNUUUF... SNUFFF...

ÇA Y EST! IL A COMPRIS!
FNOUFNOUFNOUFNOUFNOUFNOUF

IL DOIT BIEN Y AVOIR DANS CETTE MAISON UNE PORTE TEMPORELLE OU UN GADGET QUI ...

BAFR
MACH
SLORP

NOUS N'Y ARRIVERONS PAS COMME ÇA. CET ANIMAL EST COMPLÈTEMENT ABRUTI!
OH, DIODE! REGARDE! IL Y A MÊME DES FIGURANTS!
?

CLIC!
?

... NOUS PÉNÉTRONS ACTUELLEMENT DANS LA PIÈCE PRINCIPALE DE CE LOGEMENT, LE MOBILIER EST D'ÉPOQUE : PUR 20e SIÈCLE, COMME L'INDIQUE LA VÉTUSTÉ DU MODÈLE DE TÉLÉVISEUR!
VISITE GUIDÉE
?!

REGARDEZ, MA CHÈRE DIODE! LE CONSERVATEUR A MÊME POUSSÉ LE RÉALISME JUSQU'À ENGAGER DES FIGURANTS À L'ALLURE SIMIESQUE.
REPOUSSANT! REGARDE LA MÂCHOIRE DE CELUI-LÀ, UN VRAI PRIMATE!!
?

CONSTATEZ L'ABSENCE DE SKONKSS-VIBREUR TEMPOREL, L'APPAREIL QUE VOUS VOYEZ LÀ SERVANT UNIQUEMENT À MESURER LE TEMPS, QUELLE DÉRISION!
... HOÂRINGARD! DES VIEUX ALBUMS DE TOME ET JANRY, ÇA DOIT VALOIR UNE FORTUNE!
QUEL UNIVERS PRIMITIF!
DITES DONC!

J'IGNORE D'OÙ VOUS SORTEZ, VOUS ET VOTRE JUKE-BOX, MAIS SURTOUT NE VOUS GÊNEZ PAS! ... FAITES COMME CHEZ VOUS!
COMME CHEZ NOUS?! VOUS RÊVEZ?

JE NE SURVIVRAIS PAS UN INSTANT DANS PAREILLE INFECTION!
JE NE VOUS RETIENS DONC PAS! QUE JE SACHE, LA MAISON N'EST NI À VENDRE, NI À LOUER! BONSOIR!

LOUER? QUI PENSERAIT À LOUER UNE CAVERNE PRÉHISTORIQUE?
NOUS PENSIONS SEULEMENT VISITER...

... COMME NOUS LE PROPOSE LE PANNEAU DEVANT L'ENTRÉE.
LE PANNEAU? QUEL PANN...
?
ISITE
VIENS, ÉLECTRODE.

FANTASIO! VITE! TON APPAREIL-PHOTO!!!
17.

SKONKS! AVIS À NOS AIMABLES VISITEURS : LE MUSÉE VA FERMER SES PORTES DANS QUELQUES INSTANTS, IL EST DODO MOINS VINGT-CINQ, NOUS VOUS SOUHAITONS UN EXCELLENT REPOS !
GOODYDAY
SALLE PRÉSOLAIRE
NORWAY
NOUVEAU

PAR TOUS LES ROBOTS ? MAIS ... **OH!** SUIS-JE BÊTE ! C'EST POUR LA TECHNOCAMÉRA INVISIBLE, ÉVIDEMMENT ! JE VOUS AI RECONNU ! HI, HI ! EUH ... **NOUS SOMMES EN 2062 !** QU'EST-CE QUE JE GAGNE ?

VOUS AVEZ DIT 2062 ?

DIEU DU CIEL ! N'AURIEZ-VOUS PAS CROISÉ DEUX JEUNES GENS BIZARREMENT VÊTUS ET ACCOMPAGNÉS D'UN ÉCUREUIL, C'EST UN PETIT PEU UNE QUESTION DE VIE OU DE MORT !

19.

* VOIR "SPIROU & FANTASIO" N° 94.

MOUH ! MOUH !
VOILÀ LA SORTIE, EN EFFET ! ET CE BIDULE PRÈS DES GARDIENS DOIT ÊTRE CE QUE NOUS CHERCHONS.
ANNUAIRE

PRESSONS ! NOUS NE PASSONS PAS INAPERÇUS ET CES UNIFORMES ME RAPPELLENT QUELQUE CHOSE.
BONJOUR, JE SUIS L'ANNUAIRE. JE VOUS ÉCOUTE, QUIDAM !

EH BIEN, HEU... NOUS CHERCHONS UN AMI...
HEP ! LES DEUX, LÀ-BAS !

HEU... C'EST À QUEL SUJET ?
LES FIGURANTS NE SONT PAS AUTORISÉS À QUITTER LE MUSÉE EN COSTUME !
SORTIE
TAXIBULL
TÊTE DE STATION

LES VOILÀ ! OH !
CATASTROPHE !
NOUS NE SOMMES PAS VRAIMENT FIGURANTS, EN FAIT...

SUIS-JE BÊTE ! VOUS, VOUS ÊTES NORMAUX ET CE SONT TOUS LES AUTRES QUI SONT DÉGUISÉS !
TAXIBULLE !
ÇA VA MAL TOURNER.
MONSIEUR TAXIBULLE ! PAR ICI !
?
PAF

BON ! ON S'EMBRASSE ET ON SE QUITTE !
BOK
?

HÉ! MAIS!
EMBARQUE ! ON CHANGE DE DÉCOR !
?
TAXI
AH! TOUT DE MÊME !

TÊTE DE STATION
TAXI
HÉ, LÀ! MON... MON TAXIBULLE!
VRADADAAA
BIENVENUE EN 2062, MESSIEURS ! VOUS M'EXCUSEREZ POUR L'ACCUEIL UN PEU BOUSCULÉ ...

AVEC VOTRE PERMISSION, NOUS FERONS LES PRÉSENTATIONS DANS UN LIEU MOINS ENCOMBRÉ !
TAXI

MON TAXI ! ILS ONT VOLÉ MON TAXI ! FAITES QUELQUE CHOSE !

C'EST BIEN EUX. ILS ONT DÉJÀ PROVOQUÉ UNE ÉMEUTE !
OUAIS.

ON A BIEN FAIT D'ATTENDRE ! ÇA NOUS AURA PERMIS DE LOCALISER LE CHINOIS. J'EN CONNAIS UN QUI SERA CONTENT !
ALLÔ, CENTRAL ?

CONTRÔLEUR Z POUR LE GRAND DÉCIDEUR ! NOUS MAÎTRISONS TOTALEMENT LA SITUATION !
PARFAIT !

VOUS POUVEZ DÉCLENCHER LA PHASE SUIVANTE ! JE SUIS EXTRÊMEMENT IMPATIENT, Z.2082 !

NOUS ARRIVONS EN VUE DU SECTEUR "A". C'EST LÀ QUE SE TROUVE LE LABORATOIRE DE L'HOMME QUE VOUS CHERCHEZ.
MUSEL
CHEZ DUD
PARK
ANTIQUITÉS
POLYSTYRÈNE
BOOLI
LISEZ SPIRO
ÉDITIONS UNIVE
TAXI
KARAT
KRAD
ZUT
ASSURKEUDAL

ENTREZ, NOUS DEVRIONS ÊTRE PROVISOIREMENT À L'AISE POUR PARLER. C'EST LE LABORATOIRE D'AURÉLIEN de CHAMPIGNAC, VOUS NE LE VERREZ PAS ICI, IL EST... MON DIEU!
TIMOTHÉE

...IL EST QUOI?
IL EST ENTRE LES MAINS DU TYRAN LE PLUS IMPITOYABLE QUE LA TERRE AIT JAMAIS PORTÉ!

ET VOUS, QUI ÊTES-VOUS?
JE SUIS... ENFIN, J'ÉTAIS LE PRINCIPAL ASSISTANT D'AURÉLIEN de CHAMPIGNAC, NOUS AVONS TRAVAILLÉ ENSEMBLE SUR L'INVENTION DE SA VIE : LE VOYAGE TEMPOREL.
JE M'APPELLE SO-UAH.
HUMBLEMENT.
BONK

ENCHANTÉ! JE SUIS SPIROU!
ET MON AMI LÀ, C'EST FANTASIO.
MOUH MOUH!
ET SPIP: ACCESSOIRE.
VENEZ PAR ICI, NOTRE TECHNOLOGIE POURRA FAIRE QUELQUE CHOSE POUR LUI.
22.

(1) L'HORLOGER DE LA COMÈTE.

.BON !
ON Y VA ?
C'EST BRANCHÉ.
RYTHME CARDIAQU

NORMAL.
... ENCÉPHALO ?
CORRECT.
...FONCTION RÉN
..RESPIRATION ? PARFAIT !
OK !
...RIGIDITÉ ?
ET TA FEMME, ÇA VA ?

CELUI-LÀ SE REMET. ON PEUT PASSER AUX AUTRES.

?

?

ÇA A L'AIR DE LEUR FAIRE UN CHOC, NON ?
NORMAL, METS-TOI À LEUR PLACE.
OÙ...
OÙ SOMMES-NOUS ?... QUE NOUS EST-IL ARRIVÉ ?

ZORGLONDE ? ÇA VOUS DIT QUELQUE CHOSE?
QUOI?
MAIS NON ! NOUS SOMMES EN 2062, ET...
VOUS VERREZ QUE BEAUCOUP DE CHOSES SONT POSSIBLES EN 2062, L'ANCÊTRE ! HA HA HA !
TUUT
TUUT
TOUIT
EH ! LE ROBROTOCOLE ! IL...
?
24.

(1) VOIR "Z COMME ZORGLUB" ET "L'OMBRE DU Z".

ILS ONT RAISON, NOS ... MH ... "INVITÉS" ONT DROIT À QUELQUES EXPLICATIONS. QU'ON LES EMMÈNE À LA ZORGLOSALLE OÙ JE ME FERAI UN PLAISIR DE LES ÉCLAIRER !
CLAC

POUTCH
EXÉCUTION !

KROUAK

?
"EVIV BULGROZ"
COMME VOUS LE LAISSIEZ JUDICIEUSEMENT ENTENDRE, JE NE SUIS PAS ZORGLUB ... DU MOINS, PAS CELUI QUE VOUS CONNAISSEZ !
DIRECTEMENT ISSU DE SA DESCENDANCE, JE NE SUIS, POUR VOUS, QU'UNE SORTE DE ZORGLUB JUNIOR. MAIS, JE LE PRÉCISE ...

... LE SEUL QUE L'HISTOIRE RETIENT DÉJÀ !!
MON AÏEUL ME RENDAIT, JE LE CONFESSE, QUELQUES RARES CENTIMÈTRES ; À MON TOUR, JE RENDRAI DONC À SA MÉMOIRE UNE GLOIRE DONT VOUS, SPIROU ET FANTASIO, AVEZ JADIS TERNI L'ÉCLAT !

JE DIS BIEN "JADIS", CAR, PLUS QUE LES PRESTIGIEUX VESTIGES D'UNE PUISSANCE APPARTENANT AU PASSÉ, TOUS CES OBJETS SERONT DÉSORMAIS LES TÉMOINS DU RENOUVEAU DU SIGNE DE ZORGLUB ... JE LE DÉCRÈTE :
L'HEURE DU RÉVEIL DU Z A SONNÉ !
26

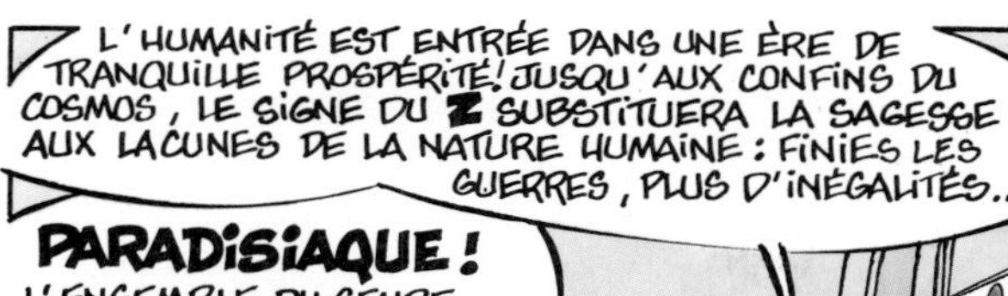
L'HUMANITÉ EST ENTRÉE DANS UNE ÈRE DE TRANQUILLE PROSPÉRITÉ! JUSQU'AUX CONFINS DU COSMOS, LE SIGNE DU Z SUBSTITUERA LA SAGESSE AUX LACUNES DE LA NATURE HUMAINE : FINIES LES GUERRES, PLUS D'INÉGALITÉS...

PARADISIAQUE ! L'ENSEMBLE DU GENRE HUMAIN UNI DANS UN ÉGAL ABRUTISSEMENT !

PAUVRE DÉTRAQUÉ ! JE NE VOUS DONNE PAS UNE ANNÉE POUR ÊTRE RENVOYÉ POUR TOUJOURS DANS L'ASILE D'OÙ VOUS N'AURIEZ JAMAIS DÛ SORTIR !

UNE ANNÉE, DITES-VOUS ? COMME C'EST AMUSANT !
HIHIHI !
PFF !
HOHO !
TOME + JANRY. COULEURS STAIFLE

DITES-MOI Z 097, QU'EST-CE QU'UNE ANNÉE ?
HEIN ?
HEU... UNE ANNÉE, GRAND ZORGLUB ?

HEU... ATTENDEZ... NE SOUFFLEZ PAS ! HEU... ÇA VA ME REVENIR...
HEU...
ATTENDS !
HEU...
...ROOOO !
INUTILE, BRAVE ZORGLHOMME, TU NE PEUX PAS SAVOIR CE QU'EST UNE ANNÉE...

...PAS PLUS QU'UNE SECONDE OU UN SIÈCLE, PUISQUE TOUT CELA N'EXISTE PLUS !
?

LE CONTRÔLE DU TEMPS ! VOILÀ MON POUVOIR ! LORSQU'À L'AUBE DE 2062, J'AI FAIT ABOLIR À JAMAIS L'USAGE INDIVIDUEL DES APPAREILS DE MESURE DU TEMPS ! MONTRES, HORLOGES ET AUTRES CHRONOMÈTRES ONT ÉTÉ IRRÉMÉDIABLEMENT REMPLACÉS PAR MES SKONSS TEMPORELS !
Malbobo
SA CIGARET
HORLOGE
AVIS

CHAQUE INDIVIDU EST DÉSORMAIS PRÉVENU PAR UN AVERTISSEUR PORTATIF À L'INSTANT OÙ IL DOIT EXÉCUTER UNE QUELCONQUE ACTIVITÉ, FÛT-ELLE BANALEMENT QUOTIDIENNE !
SKONSS!
?

WEZE WEZE TUUT!

HEU, GRAND ZORGLUB ?
SAUF VOTRE RESPECT, CES CONVERSATIONS ONT UN PEU EMPIÉTÉ SUR MON HORAIRE : MON SKONSS VIENT DE RETENTIR !
?

OUI ?
IL FAUT QUE JE ME RETIRE UN INSTANT, IL EST "POPO" MOINS UNE ...

ALLEZ ! ET SOULAGEZ-VOUS, MON BRAVE !
?

C'EST... C'EST RÉVOLTANT !
AU DÉBUT, IL A FALLU CONVAINCRE UN CERTAIN NOMBRE DE... SCEPTIQUES, PROHIBER LES MONTRES À QUARTZ, RECYCLER LES HORLOGERS...
J'AI BIEN RENCONTRÉ QUELQUES RÉTICENCES EN SUISSE ET À HONG-KONG, MAIS ...

LA JUSTICE DE ZORGLUB FRAPPE LES DISSIDENTS DE TRAVAUX FORCÉS À LA ZORGLOGE !
LA QUOI ?

LA ZORGLOGE !
BROLOBRODOM
LA DERNIÈRE HORLOGE À FONCTIONNER ENCORE ! MON CHEF-D'ŒUVRE !!!

ADMIREZ ! C'EST D'ICI QUE PARTENT LES MILLIARDS D'IMPULSIONS QUI RÈGLENT LE QUOTIDIEN DE MES CONCITOYENS AU RYTHME DES "SKONSS".
?
XII
III
IX
VI

AURÉLIEN DANS CE BAGNE, C'EST MONSTRUEUX !
MH ... JE NE POUVAIS PAS LAISSER UN TEL SPÉCIALISTE TEMPOREL EN LIBERTÉ SANS SA COMPLÈTE COLLABORATION.
UN CHAMPIGNAC À VOS CÔTÉS, ÇA ME FERAIT MAL !

JE NE TIENS PAS À DEVOIR VOUS FAIRE MAL, MONSIEUR FANTASIO, NE ME TENTEZ DONC PAS !
OUVREZ, Z-143.
CLAC
SCHLOK

CHAMPIGNAC ET SON AMI CHINOIS ONT VOULU CONTRARIER MES PROJETS EN VOUS "TRANSFÉRANT" ICI. CETTE NAÏVE ERREUR ME SERVIRA !
AURÉLIEN !
SNOUARF!

VOUS ICI ! SO-JAH A DONC ÉCHOUÉ !
MAÎTRE, LE TYRAN A DÉJOUÉ NOS PLANS !

TU AS LE CHOIX, CHAMPIGNAC TA COLLABORATION AU PROJET "Z" CONTRE LA SANTÉ DE TES AMIS. NE TARDE PAS :
LA PATIENCE DE ZORGLUB A D'ÉTROITES LIMITES ...

... AU CONTRAIRE DE SA VANITÉ, JE SAIS. AIDEZ-MOI, MES AMIS !

SI LA DÉMENCE ÉTAIT LE CRITÈRE, TU SERAIS SANS DOUTE LE PLUS GRAND, ZORGLUB ! HEUREUSEMENT...
TU DEMEURES, TANT CÉRÉBRALEMENT QU'ANATOMIQUEMENT, UN NABOT !

... CE QUI DU RESTE, ME PERMETTRA DE NE SALIR QU'UNE SEULE MAIN !
?

TCHAK
HEU... E..VIV... GROZBUL !
BLONK
28.

VIEILLARD PRÉSOMPTUEUX! ZORGLUB VA TE DONNER UNE LEÇON!
ZORGLHOMME 143, ESOD QNIC!*
...HEU ?! CERTES, GRAND ZORGLUB!
*"DOSE CINQ!" (EN ZORGLANGUE)

FLOP

ET SOUVENEZ-VOUS! ZORGLUB EST IMPATIENT!
LA ZORGLONDE! IL A ÉTÉ FRAPPÉ DE PLEIN FOUET!
CLAC

INCROYABLE! IL REVIENT DÉJÀ À LUI.
C'EST UNE CHANCE, LE ZORGLHOMME A DÛ MAL COMPRENDRE, C'EST SEULEMENT UNE DOSE MINIME.

AURÉLIEN, EXPLIQUEZ-NOUS QUEL EST LE PROJET "Z" POUR LEQUEL ZORGLUB SOUHAITE VOTRE CONCOURS ?
ZORGLUB M'A VOLÉ TOUS MES SECRETS SUR LE VOYAGE TEMPOREL, MES AMIS...

TOUS SAUF UN! S'IL PEUT À SON GRÉ TRANSFÉRER D'ÉPOQUE EN ÉPOQUE TOUS LES OBJETS QU'IL DÉSIRE, J'AI RÉUSSI À LUI CACHER LA FAÇON D'EN FAIRE AUTANT AVEC LES ÊTRES VIVANTS!
OR, POUR ASSOUVIR SES BESOINS DE CONQUÊTES, ZORGLUB A BESOIN D'EFFECTIFS COLOSSAUX! IL EST À COURS DE ZORGLHOMMES!
QUOI? VOUS VOULEZ DIRE QU'IL SERAIT PRÊT À RECRUTER DE FORCE SES ZORGLHOMMES DANS LE PASSÉ?

UNE IDÉE AHURISSANTE! IL "PRÉLÈVERAIT" DANS LE PASSÉ DES INDIVIDUS AYANT EU UNE VIE SANS INCIDENCE SUR LE FUTUR OU PROMIS À UN ACCIDENT FATAL AFIN DE NE PAS INFLUENCER LE COURS DU DESTIN...
HEP!
?
...POUR LES LANCER EN 2062 APRÈS CONDITIONNEMENT DANS JE NE SAIS QUELLE NOUVELLE CROISADE! RAAAH!!!...
?
ITANIC

C'EST DÉMENTIEL ! SI JE N'ÉTAIS PAS SÛR D'ÊTRE ENVOYÉ À L'ASILE DÈS MON RETOUR, JE POURRAIS FAIRE LE REPORTAGE DU SIÈCLE : "ZORGLUB, DICTATEUR DU FUTUR" !
OUBLIE ÇA ! DE TOUTE FAÇON !

COMMENT ÇA ?
EN SUPPOSANT QU'AURÉLIEN LUI LIVRE LE SECRET DU TRANSFERT HUMAIN, ZORGLUB NE NOUS RENVERRA JAMAIS AU XXe SIÈCLE...

... PUISQUE NOUS POURRIONS PROBABLEMENT Y TROUVER LE MOYEN D'EMPÊCHER QUE LE DESTIN S'ACCOMPLISSE DE FAÇON AUSSI SINISTRE...

IL DOIT Y AVOIR UN MOYEN POUR EN SORTIR, AURÉLIEN, RÉFLÉCHISSONS ENSEMBLE !
VOLONTIERS, MAIS À VOIX BASSE ...

JE CRAINS QUE NOUS SOYONS ÉTROITEMENT SURVEILLÉS !
PAUVRE NAÏF ! MÊME EN CHUCHOTANT, ON N'ÉCHAPPE PAS À LA TECHNOLOGIE DU GRAND ZORGLUB !

J'AI BIEN PEUR QUE LES CHANCES SOIENT MIN... KRTUUUUUUUUUU

LE SON ! LE SON ! LE SON NE PARVIENT PLUS !
Z.0623, QUE SIGNIFIE...?
JE NE COMPRENDS PAS, GRAND ZORGLUB !
CLIC CLIC

IL Y A PLUSIEURS CAMÉRAS, ET LE MICRO EST PARFAITEMENT DISSIMULÉ !
... OÙ EST-IL PLACÉ ?!

?

¡INCAPABLE ! HORS DE MA VUE !

QU'ON EMMÈNE CET ABRUTI AU SECTEUR RECONDITIONNEMENT !
NON !
PAS LE RECONDITIONNEMENT ! Y... VOTRE GRANDEUR !
EUH... EVIV MACHIN... EUH ZUGOL !

CE SENTIMENT D'IMPUISSANCE ! ... C'EST À DEVENIR FOU !
IL AURAIT POURTANT SUFFI DE SI PEU. ...POUR TUER LE TEMPS AVANT VOTRE ARRIVÉE, J'AVAIS CONÇU QUELQUES PETITS BRICOLAGES, MAIS IL ME MANQUAIT L'ESSENTIEL, ET DANS CETTE GEÔLE...
URK!
!

AH, TIMOTHÉE ! VOTRE DIGESTION VOUS TRAHIT, CE ME SEMBLE !...
PAS ÉTONNANT, CE TRUC AVALE N'IMPORTE QUOI !
OÙ EST MA PIPE ?
?

NOTEZ, IL N'ASSIMILE QUE LES DENRÉES COMESTIBLES, LE RESTE, IL...
DÉGOÛTANT ! RIEN NE NOUS AURA ÉTÉ ÉPARGNÉ !

REGARDEZ CE CURIEUX OBJET, PAR EXEMPLE !
BAH, UNE PILE ! SANS DOUTE RAMASSÉE DANS NOTRE MAISON...
PLOF

... UNE PILE ?! MAIS ...
SABRE DE LASER !
?

C'EST INESPÉRÉ ! POURVU QUE ... ?!
OUI !
?
??

ÉVIDEMMENT, LE LOGEMENT NE CORRESPOND PAS, MAIS...
SPIROU, PASSEZ-MOI UN DE VOS BOUTONS CUIVRÉS !
?

LE CONTACT S'ÉTABLIT ! HOURRA !
BZZZ

MESSIEURS, C'EST LITTÉRALEMENT LA PROVIDENCE QUI NOUS TEND LA MAIN !
VOUS ALLEZ VOIR !

?
BZZZ

?

PLAF
PLAF

?
?
?
?

BOM

ET VOILÀ !
IN... INCROYABLE !
TIC

JE NE SUIS PAS MÉCONTENT DE CE PETIT BRICOLAGE... JE PENSAIS L'APPELER... "MANOMOL". CELA FONCTIONNE GRÂCE À...
PRODIGIEUX ! MAIS VOUS NOUS EXPLIQUEREZ PLUS TARD, LE TEMPS PRESSE...

AU DIABLE LES SCRUPULES, CECI NOUS VIENDRA À POINT, SI...

FLOP
OUPS !

LE COUP EST PARTI TOUT SEUL !
TANT PIS, MAIS PRENDS PLUTÔT LE MANOMOL.

ÉCOUTEZ...
DES PAS !

LE RECONDITIONNEMENT!! SNIF !
PFOU ! QUELLE CHALEUR ! ZE PLAINS CEUX QUI TRAVAILLENT, ICI !

JUSTEMENT, VOILÀ Z. 143, LE PAUVRE !
Z. 143 POIL AU DOIGT, HI HI

HUMPF... FOLLE AMBIANCE !
TU PARLES, JAMAIS VU UNE SENTINELLE AUSSI COINCÉE !

ILS VIENNENT PAR ICI !
IL Y A UNE PORTE LÀ, PRENONS LE RISQUE !

HÉ, IL Y A UNE INSCRIPTION, EST-ON SÛR QUE... ?
TNEMENNOITIDNOCER
CHHT... ON N'A PAS LE CHOIX !

BRR ! IL FAIT PLUTÔT SOMBRE ...
AVANÇONS !

TOC
?

IL Y A UNE SORTE DE SIÈGE, ICI.
INSTALLONS-NOUS EN ATTENDANT QUE LE DANGER SOIT PASSÉ !
SPIROU, J'AI COMME UN SENTIMENT BIZARRE... JE ...

ZORGLHOMMES, À MON COMMANDEMENT !

DÉGAINEZ, ARMES !
LA ... LA VOIX DE ZORGLUB !
NOUS SOMMES CERNÉS !

... ARMEEEZ !
ÇA IRA ! Z.492, RÉTABLISSEZ LA LUMIÈRE !
VLOP VLOP VLOF VLOP
VLOP VLOP VLOP

CLIC !

APRÈS CET EXERCICE DE MANIEMENT D'ARMES DANS L'OBSCURITÉ, NOTEZ LA CONCLUSION: OBÉISSANT AVEUGLÉMENT, UN ZORGLHOMME FAIT SON DEVOIR LES YEUX FERMÉS !
EVIV BULGROZ !
COUIC
LE "Z"
CLIC
Z.492 EST LE CHOUCHOU DU ROBROFESSEUR

CHAPITRE SUIVANT: COURS DE ZORGLANGUE. RÉPÉTEZ APRÈS MOI : "ESOD MUMIXAM".
OD MUMIXAM

NOUS VOILÀ ARRIVÉS; BON RECONDITIONNEMENT, Z.0623 !

ESOD MUMIXAM !

VOILÀ UNE BONNE CHOSE DE FAITE. NE TRAÎNONS PAS ! JE NE VOUDRAIS PAS ÊTRE À SA PLACE.
TU L'AS DIT, IL PARAÎT QU'ILS ONT MÊME DES COURS DE ZORGLANGUE !
BRR

CETTE FOIS, LA VOIE EST LIBRE!
BIZARRE...

NOUS VENONS DE QUITTER TRENTE ZORGLHOMMES ARMÉS JUSQU'AUX DENTS ET PAS UN SEUL POUR NOUS RETENIR...
NORMAL, AU CONTRAIRE!

DANS SON OBSESSION À TOUT RÉGLER, ZORGLUB NE PEUT ATTRIBUER QU'UNE SEULE TÂCHE À LA FOIS À CHAQUE INDIVIDU...

... LES ÉLÈVES ÉTUDIENT, LES GARDIENS SURVEILLENT ET LES CHAUFFEURS DE TAXIBULLES CONDUISENT JUSQU'À CE QUE LEUR SKONSS EN DÉCIDE AUTREMENT !
TOUTE INITIATIVE EST RÉPRIMÉE SANS DÉLAI !
CELA EXISTE DÉJÀ AU XXème SIÈCLE: ON APPELLE ÇA LE FONCTIONNARIAT.

DANS CE CAS, LA SOLUTION À NOS PROBLÈMES EST TOUTE TROUVÉE...

SPIROU, SABRE DE LASER! VOUS N'Y PENSEZ PAS !?
JE NE PENSE QU'À CELA, AU CONTRAIRE ...

VOUS ALLEZ PROVOQUER UN BOULEVERSEMENT À L'ÉCHELLE PLANÉTAIRE...
MIEUX: UNE RÉVOLUTION!

PRÊT, FANTASIO?
C'EST PARTI.

DOU... DOUCEMENT, HEIN !
QUOI?
36

...ET LA CELLULE ÉTAIT VIDE, VOTRE GRANDEUR.
ASSEZ! DONNEZ-MOI ÇA, VOUS!

ICI, ZORGLUB! AVIS À TOUTES LES UNITÉS DE SURVEILLANCE! ORDRE D'INTERCEPTION ...

...IMMÉDIATE D'UN GROUPE DE PRISONNIERS ÉVADÉS! JE RÉPÈTE...

FRAPPER VITE AU POINT NÉVRALGIQUE ...
SCHÜCO
LE VOILÀ!

WIUWIUWIUWI

BLOB

VLAA

FRZZZZ

FLOP
!
37

VLAN! ESOD MUMIXAM EVIV FANTASIO!
BUNK

ÇA VA SAUTER ... ÇA DOIT SAUTER ! J'AI DISLOQUÉ PLUSIEURS RÉVEILS COMME ÇA !
KRRR
KRRR

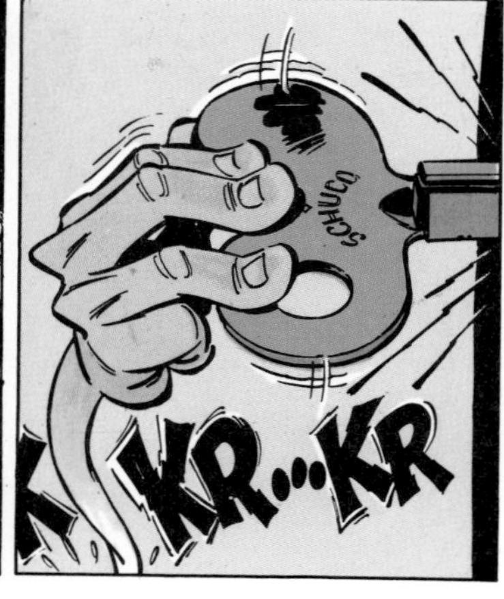
SCHUCK
KR...KR

DZOOIING

IL Y A SURCHARGE PARTOUT !
LES CIRCUITS GRILLENT !

HOURRA ! LE MANOMOL EST UN ENGIN DU TONNERRE !
EN EFFET, C'EST PRODIGIEUX !

PETZOUH
KROUAK

?
SKONSS!
SKONSS!
SKONSS!
SKONSS!
38.

WEZE WEZE ...
WEZE WEZE ...
WEZE WEZE ...
ÇA MARCHE ! C'EST PARTI POUR LE CIRQUE !
TA TA CLOP

MA ZORGLOGE!
ILS L'ONT FAIT SAUTER !

MA GARDE PERSONNELLE ! OÙ RESTE-T-ELLE ?
L'UNITÉ SPÉCIALE EST EN CHEMIN, VOTRE GRANDEUR ! D'AILLEURS...
PARIS, Z UNE BLONDE

... LA VOILÀ !
ENFIN !
DZIIIII

MA GARDE ! VOUS ÊTES MON SEUL RECOURS. ZORGLUB EST EN PÉRIL !

NEUTRALISEZ CES GENS ! AU PLUS VITE !

MAIS... VOTRE GRANDEUR ! CE SONT...
IL SUFFIT !

ON NE RECULE PAS DEVANT LA VOLONTÉ DE ZORGLUB ! EXÉCUTION !
EVIV BULGROZ !

JE CROIS QUE LA PARTIE EST GAGNÉE !
EN EFFET ! SUIVEZ-MOI ! NOUS ALLONS VOUS RAMENER À VOTRE ÉPOQUE !
COMMENT ? DÉJÀ ?
1. 2.

JE VOULAIS QUE VOUS M'AIDIEZ À M'ÉCHAPPER, ET VOUS AVEZ LIBÉRÉ UNE CIVILISATION. IL APPARTIENT DÉSORMAIS À MES CONTEMPORAINS DE SE DÉBROUILLER SEULS AVEC LEUR TYRAN ! VENEZ, SPIROU !

39.

1
2
3
EN PANNE
ENTRETIEN
C'EST UNE CHANCE ! IL Y A TROIS NAVETTES DISPONIBLES. DEUX SUFFIRONT LARGEMENT !

C'EST HALLUCINANT ! APRÈS CE QUE NOUS AVONS VU, CE JOYEUX DÉSORDRE FAIT PLAISIR À VOIR !
ÇA, JE VOUS L'ACCORDE VOLONTIERS, FOUGUEUX AMI !

AURÉLIEN ! DESCENDONS VOIR CELA DE PLUS PRÈS ! J'AIMERAIS GRAVER CE SPECTACLE DANS MA MÉMOIRE.
JE VOUS COMPRENDS !

AU MÊME INSTANT, PILOTÉE PAR DEUX MYSTÉRIEUX ZORGLHOMMES, LA TROISIÈME NAVETTE QUITTE LE REPAIRE DE ZORGLUB ...
1 2 3

VOICI LE SECTEUR "A". MON LABORATOIRE DISPOSE DES INSTALLATIONS NÉCESSAIRES À VOTRE TRANSFERT.

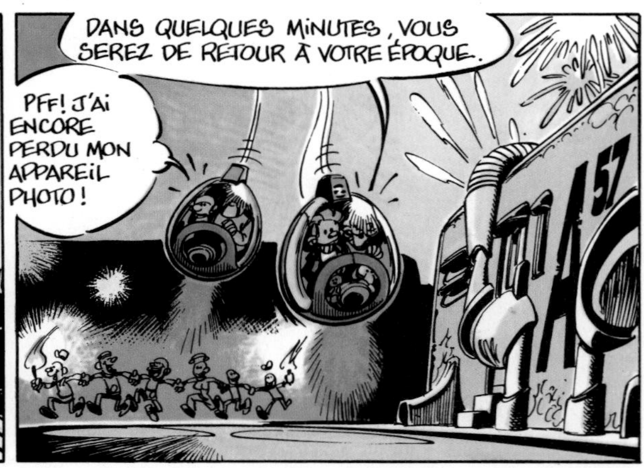
DANS QUELQUES MINUTES, VOUS SEREZ DE RETOUR À VOTRE ÉPOQUE.
PFF ! J'AI ENCORE PERDU MON APPAREIL PHOTO !

PARFAIT ! L'ESSENTIEL EST INTACT !

?!

PLUS UN PAS, OU CE SERA LA DOSE MAXIMUM !

HÉ! HÉ! UN PEU JEUNES, LES ZORGLHOMMES ! MONTREZ-NOUS DONC VOS...

?!

NON ! CES TRAITS!... CE VISAGE !

MAIS...
VENEZ, SPIROU... J'AVAIS CRU POUVOIR VOUS CACHER CECI...
HÉ HÉ

ZORGLUB AVAIT ARRÊTÉ LES HORLOGES, MAIS LE TEMPS, LUI, N'A JAMAIS PERDU SES DROITS... LES MEILLEURES FAMILLES ONT LEURS CANARDS BOITEUX...

VOTRE SIÈCLE VOUS ATTEND... VOUS Y RETROUVEREZ TOUT COMME AVANT.
MUT

ADIEU, MES AMIS! NOUS NE NOUS REVERRONS PLUS...
41

SKONSS

HEM! HEU... TU DORS?
KOHF! KOHF!
?
ZZZ... ZUT! GN'ASSOUPI DEVANT LA TÉLÉ!
CLIC
... CHÈVE CE PROGRAMME OFFERT PAR LES ASPIRACOUIC!

J'AI SURSAUTÉ : UN RÊVE IDIOT, AVEC AURÉLIEN!
TOI AUSSI? MFF... C'EST CETTE STUPIDE CONVERSATION. DANS LE MIEN, Y AVAIT ZORGLUB!
?
ZORGL...
SKONSS
?
?
?

LE CARILLON! À CETTE HEURE! ...QUI?
J'Y VAIS!

SKONSS
ÇA VIENT!!
CLOP

PACÔME, REVENEZ! ÎLS SONT BIEN LÀ!
SAC À PAPIER! QUEL ACCUEIL MITIGÉ! DÉRANGERAIT-ON?
DU TOUT! NOUS ... SOMNOLIONS ... ALORS, LE VISAGE DE ZORGLUB, SI SOUDAIN DANS L'OBSCURITÉ...
ALLONS, ALLONS, MES AMIS! C'EST LE PASSÉ, TOUT ÇA! AU DIABLE LES PETITES RANCOEURS POUSSIÉREUSES!
HUM... UN CERTAIN KAKEUKH DE VOS AMIS DONNAIT UNE CONFÉRENCE À DEUX PAS...
"SCIENCES ET VULGARISATION JOURNALISTIQUE". MAGISTRAL! IL NOUS A DIT QUE VOUS ÉTIEZ SOUFFRANT...?
EN EFFET...
FANTASIO A FAIT UNE MAUVAISE CHUTE, ET...
VRR...
...ET?
HEU... EH BIEEEN ... FINALEMENT, MOINS GRAVE QU'ON NE LE CRAIGNAIT!
C'EST PRESQUE INEXPLICABLE, QUAND ON Y RÉFLÉCHIT... HÉHÉHÉ!
QUE DIRIEZ-VOUS D'UN PETIT CORDIAL?
BONNE IDÉE!
DOSE MAXIMUM!
SI VOUS ME PASSEZ L'EXPRESSION, HA HA HA!
HA HA HA
N'EMPÊCHE! CE ZORGLUB ME FERA TOUJOURS FROID DANS LE DOS, BRRRRR...
43

UN MAÎTRE CONFÉRENCIER, CE KAKEUKH ! VOTRE DIRECTEUR DES INFORMATIONS, JE CROIS ?
DEPUIS PEU...
?
HEM ... ZORGLUB ... UNE QUESTION INDISCRÈTE ...

ZORGLUB N'A PAS DE SECRETS POUR SES AMIS !
HUM ... AVEZ-VOUS DÉJÀ PENSÉ À FONDER UNE FAMILLE ?
!

DIABLE !
... EH BIEEEN ...
... DISONS QUE S'IL SE TROUVAIT QUELQUE PART UNE JEUNE "VÉNUS" DIGNE DES CHARMES DE ZORGLUB ET DISPOSÉE À LUI DONNER UNE DESCENDANCE ...

... JE FERAIS VOLONTIERS SAUTER SUR MES GENOUX LE FUTUR ZORGLUB JUNIOR, HA HA !
LE "FUTUR ZORGLUB JUNIOR", AVEZ-VOUS DIT ?

BAH ! IL DOIT ÊTRE VAIN D'ESSAYER D'INFLÉCHIR LE DESTIN !
BONSOIR ! JE ME SENS UN PEU LAS !
?
?

TIK TAK TIK
TAK TIK TAK
TAK TIK TAK
TAK TIK
TIK TAK
UOCUOC
UOCUOC
UOCUOC
TEXTE ET DESSIN : TOME-JANRY.
COULEURS : STAIFLE.
FIN de L'EPISODE
DÉDIÉ À ANDRÉ FRANQUIN ET GREG
AINSI QU'À TOUS LEURS DESCENDANTS
JUSQU'EN 2062.

SPiROU.COM

D. 1986/0089/97
ISBN 2-8001-1386-3 — ISSN 0772-0262

Imprimé en Belgique.
R. 10/2003.
www.dupuis.com

PRINTED IN BELGIUM BY
proost
INTERNATIONAL BOOK PRODUCTION